学一百通

中国画基础技法丛书·写意花鸟

菊花

JUHUA

陈再乾◎著

ZHONGGUOHUA JICHU JIFA CONGSHU·XIEYI HUANIAO

广西美术出版社

序

中国画，特别是中国花鸟画是最接地气的高雅艺术。究其原因，我认为其一是通俗易懂，如牡丹富贵而吉祥，梅花傲雪而高雅，其含义妇孺皆知；其二是文化根基源远流长，自古以来中国文人喜书画，并寄情于书画，书画蕴涵着许多文化的深层意义，如有梅、兰、竹、菊清高于世的四君子，有松、竹、梅岁寒三友！它们都表现了古代文人清高傲世之心理状态，表现人们对清明自由理想的追求与向往也。为此有人追求清高的，也有人为富贵、长寿而孜孜不倦。以牡丹、水仙、灵芝相结合的“富贵神仙长寿图”正合他们之意；想升官发财也有寓意，画只大公鸡，添上源源不断的清泉，为高官俸禄，财源不断也，中国花鸟画这种以画寓意，以墨表情，既含蓄表现了人们的心态，又不失其艺术之韵意。我想这正是中国花鸟画得以源远而流长，喜闻而乐见的根本吧。

此外，我国自古以来就有许多学习、研读中国画的画谱，以供同行交流、初学者描摹习练之用。《三竹斋画谱》《芥子园画谱》为最常见者，书中之范图多为刻工按原画刻制，为单色木板印刷与色彩套印，由于印刷制作条件限制，与原作相差甚远，读者也只能将就着读画。随着时代的发展，现代的印刷技术有的已达到了乱真之水平，给专业画者、爱好者与初学者提供了一个可以仔细观赏阅读的园地。广西美术出版社编辑出版的“中国画基础技法丛书——学一百通”可谓是一套现代版的“芥子园”，是集现代中国画众家之所长，是中国画艺术家们几十年的结晶，画风各异，用笔用墨、设色精到，可谓洋洋大观，难能可贵，如今结集出版，乃为中国画之盛事，是为序。

黄宗湖教授

2016年4月于茗园草

作者系广西美术出版社原总编辑

广西文史研究馆画院副院长

明代　徐渭《花卉十六种图》

清　胡慥《秋菊图》

一、菊花概述

菊花原产于中国，是中国传统名花和著名的观赏花卉，也是中国花鸟画经常表现的题材。菊花属菊科，为短日照、多年生草本植物，喜凉爽，较耐寒，春生夏茂，每年在秋季11月前后开花，花期一个月左右，也有在春、夏、冬季开花的。菊花高约40～130cm，一朵花的花冠直径约为2.5～20cm，大小不一，经长期人工栽培后，品种已达数千余种。菊花有单瓣和重瓣之分，颜色有黄、白、红、紫、蓝、绿诸色。其中黄色中还有金黄、橙黄、淡黄等；红色中还有深红、桃红、粉红等；紫色中有黑紫、红紫、蓝紫等，真可谓红的似火， 黄的赛金，绿的如翠，白的胜雪，粉的似霞，色彩十分艳丽。

早在3000多年前，中国就有了菊花，春秋时期的《尔雅》 中就有“鞠、治蘠”记载。到了晋代人们已把菊花种于庭园之中。南北朝时菊花已入药了。唐代菊花已培育出黄、紫、白三色。宋代种菊出现了飞跃，从地栽发展到盆栽，品种巨增，民间出现了一年一度的菊花盛会 ，并有《菊谱》、《百集菊谱》等写菊专著。元代扩展了种菊的面积。明代已有了相当高的培养艺菊的技术。清代菊花品种已发展到233种之多，并先后传入日本、英国、法国、美洲等世界各地 。

菊花秀美多姿，但不以姿色取媚，而是以坚贞、高尚的情操赢得人们的偏爱，人们爱它的清秀神韵，更爱它凌霜盛开，西风不落的一身傲骨和盛开在百花凋零之后，不屑与百花争艳的品格。因此，菊花被称为傲霜之花，隐逸之花。自古以来，文人墨客赋诗作画，以菊明志，借菊抒情，用菊花隐喻自己的高洁、坚贞不屈的情操。如晋代不慕荣利的陶渊明弃官归隐庐山后，种菊吟诗自娱：“采菊东篱下，悠然见南山。”“芳菊开林耀，青松冠岩列。怀此贞秀姿 ，卓为霜下杰。”他是第一位颂扬菊花为“霜下杰”的人。唐代诗人元稹也留下了“秋丛绕舍似陶家，遍绕篱边日渐斜。不是花中偏爱菊，此花开尽更无花”的绝句。还有许多脍炙人口、耳熟能详的名句，如黄巢的“待到秋来九月八，我花开后百花杀。冲天香阵透长安，满城尽带黄金甲”，杜甫的“寒花开已尽，菊蕊独盈枝”，僧齐己的“无艳无妖别有香”，宋代诗人苏轼的“荷尽已无擎雨盖，菊残犹有傲霜枝。一年好景君须记，最是橙黄橘绿时”，郑思肖的“花开不并百花丛，独立疏篱趣未穷。宁可枝头抱香死,何曾吹落北风中”，明代诗人李梦阳的“不随群草出，能后百花荣”，陈毅将军的“秋菊能傲霜，风霜重重恶。本性能耐寒，风霜其奈何”等，都是对不落群芳、傲然自得，不似春光、胜似春光的菊花的颂扬。菊花已成为傲骨迎霜、宁死不屈、坚不可摧、充满生命活力的象征。菊花又被赋予了吉祥、长寿的含义。如菊花与喜鹊组合表示“举家欢乐”，菊花与松树组合为“益寿延年”等。

千百年来，画菊的人无数，画菊的方法各样，画菊的书本林立。本书作为基础技法丛书，介绍了菊花的几种画法和相关知识，希望能给学者了解、学习菊花画法提供帮助和借鉴，如有不妥，敬请指正。

菊花实物照片

吴昌硕《菊花图》

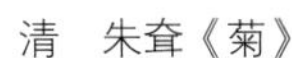
清　朱耷《菊》

清　恽寿平《菊花图》

二、笔墨

中国花鸟画的写意画法是相对于中国花鸟画的工笔画法而言的。中国花鸟画的写意画法“意”在笔先，再对物象的“形”进行似与不似的创意来达到一定的意境，以抒发画家的情感、意趣，表达画家的人格和精神世界。但不管是中国花鸟画的写意画法还是工笔画法，它们都要通过特定的作画工具来达到作画的目的。

用笔

画论中“六法”之首为“骨法用笔”。中国画用笔是指如何运用笔锋，以表现笔墨效果。用笔有正、侧、藏、顺、逆、散、聚、立、卧、转、折、提、按、顿、挫、快、慢、方、圆、畅、涩等。

正（中）锋：将笔尖直立于纸面，行笔时笔尖在笔道中间。用笔效果圆实厚重。

侧锋：笔锋偏侧笔道一边，与画面形成一定的角度。用笔效果轻薄、飘逸、松弛、灵活，有浓淡、干湿变化。

卧锋：笔杆几乎平卧于纸上。用笔效果为笔道较宽。

提、按、顿、挫：提是笔尖触画面；按是笔根触画面；顿是把笔重按或旋折；挫是连续顿笔。根据造型的需要，而使出轻重不同的力度,或提起，或按下，或顿，或挫。

快、慢：指行笔的速度。行笔速度的快慢可产生滑润或枯涩效果。行笔速度要根据笔中水分多少、纸的吸水快慢程度而定。

方、圆、畅、涩：是用笔的笔迹效果，也属画家的用笔风格。方则多棱角，圆则多润滑，畅则多顺达，涩则较枯滞缓慢。

初学绘画，应当注重用笔，做到勤练笔，多练悬腕、悬笔。写意画最好是站立练笔，只有将指、腕、肩、腰力与笔浑然一体来运用，方能得心应手。

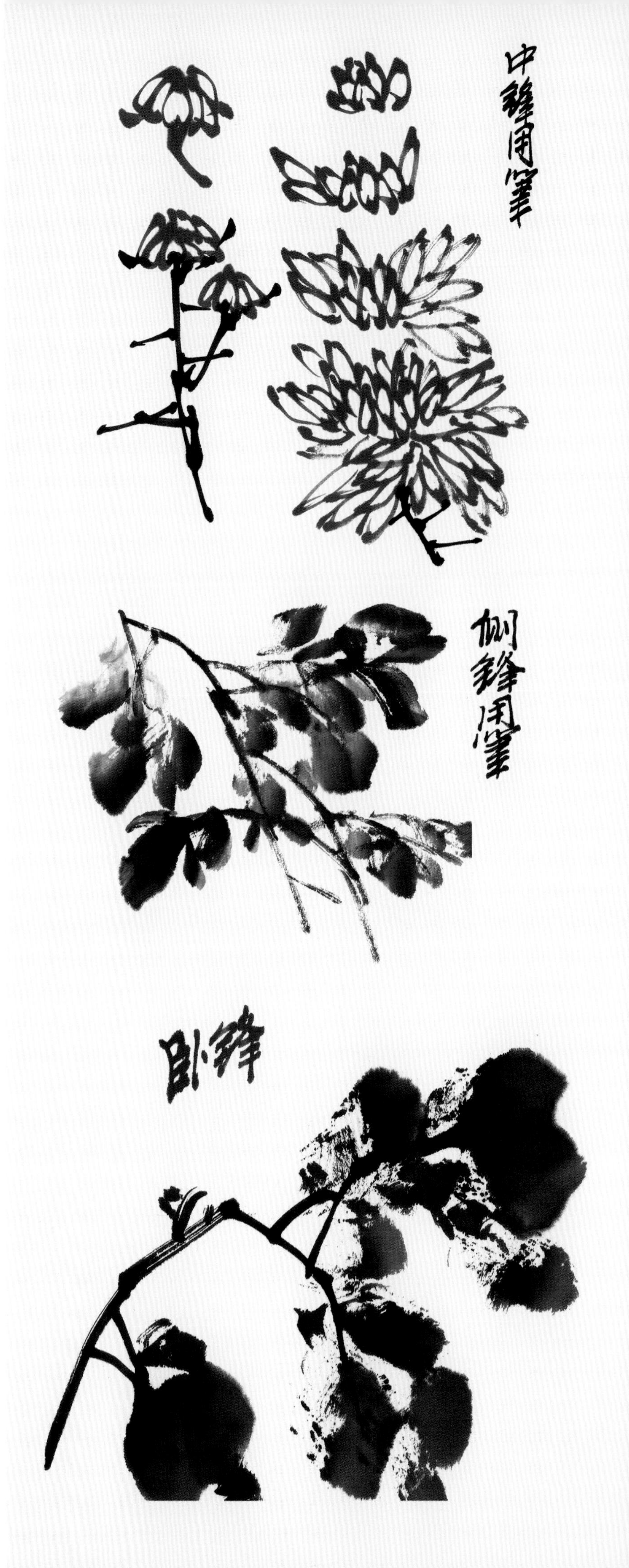

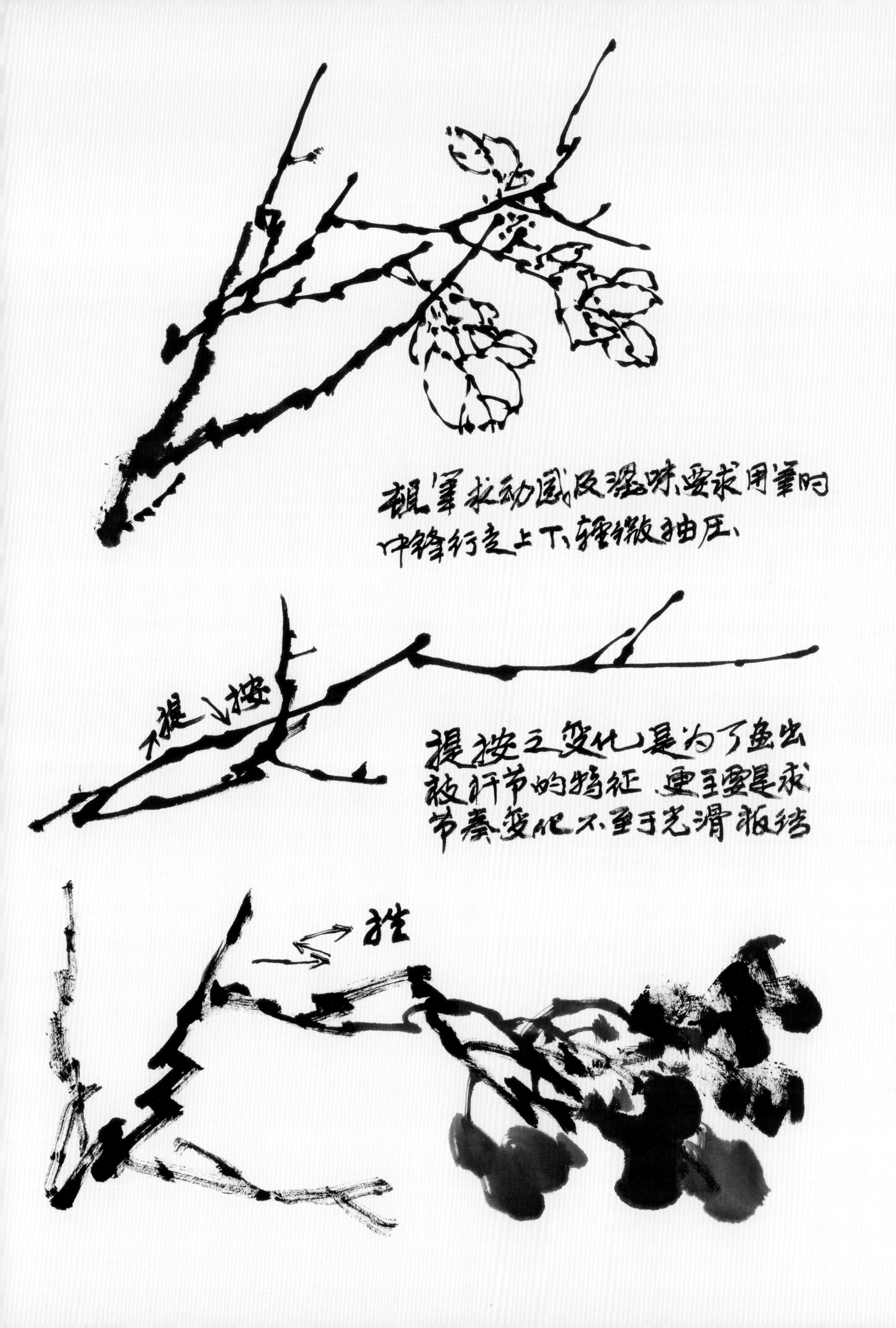
枝笔求动感及涩味，要求用笔时
中锋行之，上下，轻微抽压，
提
按
提按之变化是为了画出
枝杆节的特征，更主要是求
节奏变化，不至于光滑板结
推

用墨

1. 五墨六彩

笔墨是不可分割之体，用笔见骨，用墨见肉，骨肉相连。墨分五墨六彩。五墨就是焦、浓、重、淡、清。六彩就是黑白、干、湿、浓、淡。

用墨的关键是把握住墨的浓、淡、干、湿关系和墨的色彩感觉关系。墨的浓淡变化排序即是墨阶。用墨既要注意浓淡的变化和对比，又要注意避免墨阶跨距过远使墨脱节而形成墨气不贯，同时还要注意干与湿的对比运用，这样才能使墨成为生动活泼的“活墨”。

当天作画用过的剩墨一般都洗掉，因为墨中已混入清水或色粉等物，再经风化，很容易沉淀产生粗颗粒，次日即为“宿墨”，作画容易灰脏。如果要使“宿墨”还原再用，可以在其中加几滴烈酒，再以油烟墨条研磨后方可使用。

2. 用墨的方法

用墨的方法有多种，常用的方法有焦墨法、蘸墨法和破墨法。焦墨法：笔中含少量水，后将笔蘸上墨，再将笔中的大部分水墨吸去，使笔锋散开，画出的线或面干枯毛燥、苍劲老辣。蘸墨法：笔根、笔腹、笔尖分别蘸不同的颜色，或不同浓淡的墨，一笔画下，有浓淡和色彩变化。破墨法又分为浓破淡、淡破浓、色破墨和墨破色四种。浓破淡：先画淡墨，在淡墨未干时用浓墨破；淡破浓：先画浓墨，再用淡墨破，或者先画浓墨再用清水破；色破墨：先用墨画，再用色彩破；墨破色：先上色彩，后用墨破。

三、着色

中国画，可以只用墨画，也可以用色画，或色墨并用。只用墨画的国画，墨色高雅，耐人寻味。而通过着色的画则显得华丽、润泽、浑厚。是用墨还是用色或色墨并用，要根据需要来定。在着色时应注意“色不伤墨”、“色调和谐”。要做到这些，就必须了解颜色的性能，才能画出自己所需要的色彩调子。我们知道墨有浓淡，色也有深浅。色彩从深到浅的大致排列为：黑、深蓝、深绿、深红、深紫、赭石、中红、中绿、中蓝、深黄、中黄、淡红、淡黄、粉嫩各色和白色。写意花鸟画的着色方法有多种，最常用的方法有：①写完墨稿，待墨半干后再着色；②用墨、用色混合作画；③直接用色彩进行没骨点写；④先写墨稿，后以淡色浑罩、烘托等。

白描写生举例

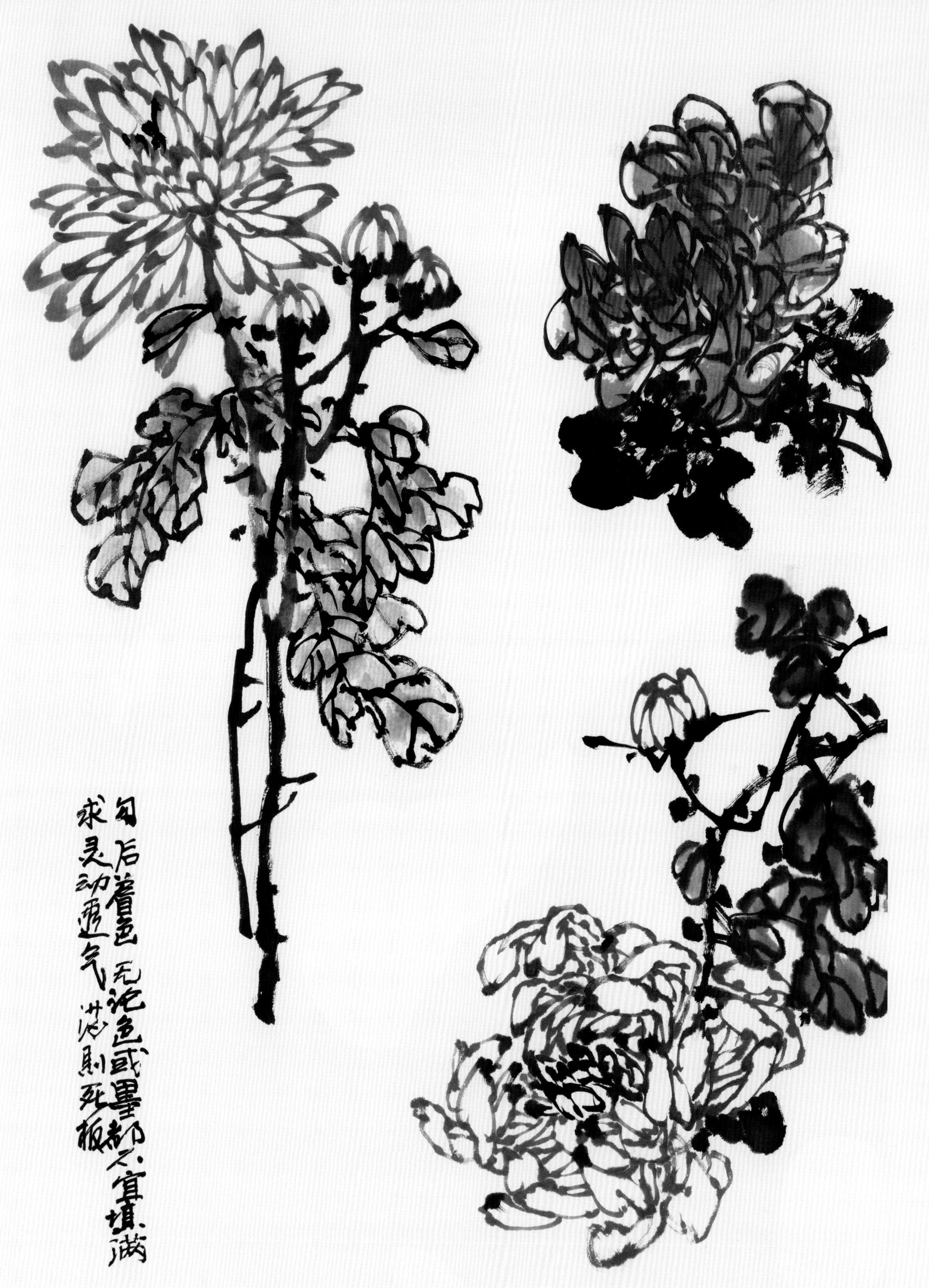

勾后着色无论色或墨都不宜填满
求灵动透气满则死板

四、构图

构图是重要环节，“六法”中的“经营位置”即是构图。构图的好坏影响着整体画面的效果。构图方法很多，一般来说，常用的构图方法有“两组线”构图、“三组线”构图、“十”字构图、“X”形构图、“之”字构图、“S”形构图、“C”形构图和三角形构图等，下面介绍几种常见构图方法。

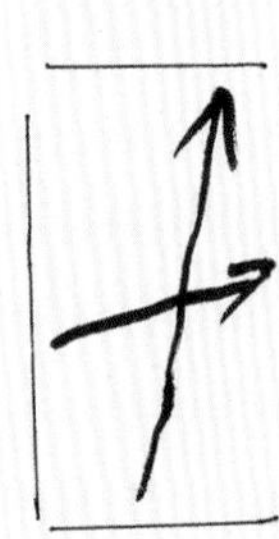

白描写生十字构图举例

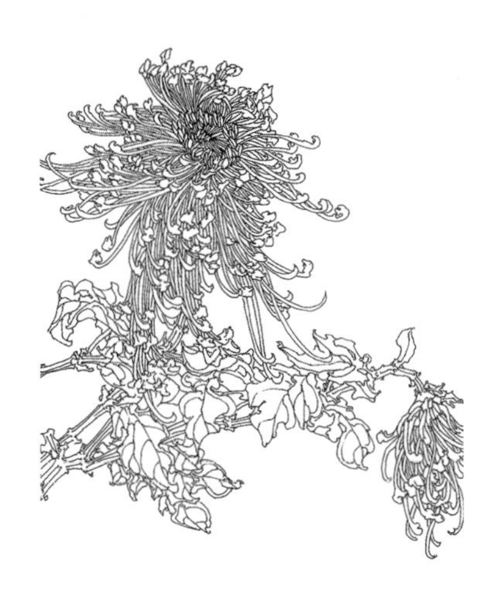

白描写生两组线构图举例

白描写生三组线构图举例

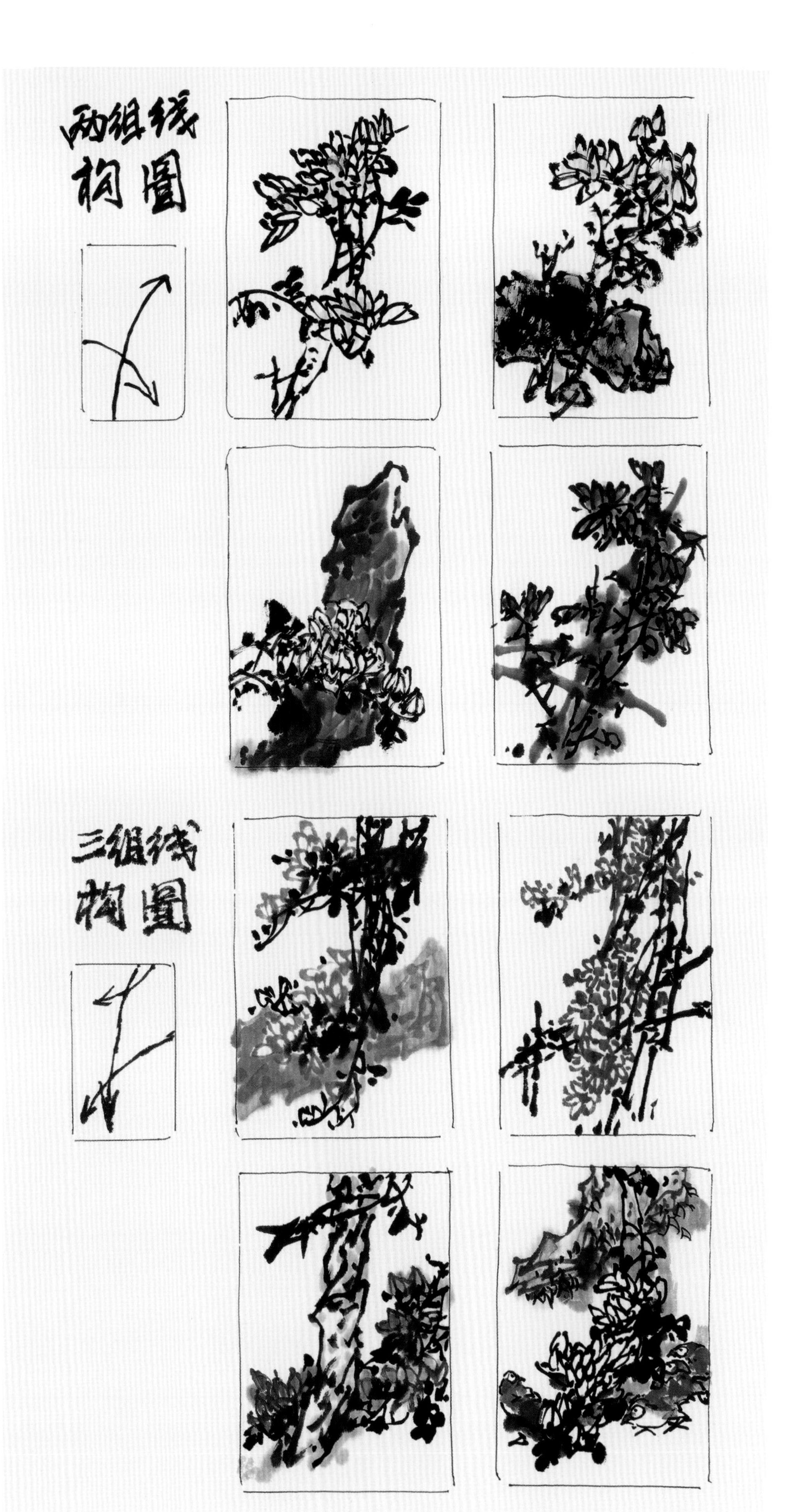

五、菊花画法

（一）双勾法

1. 盛开花朵的画法

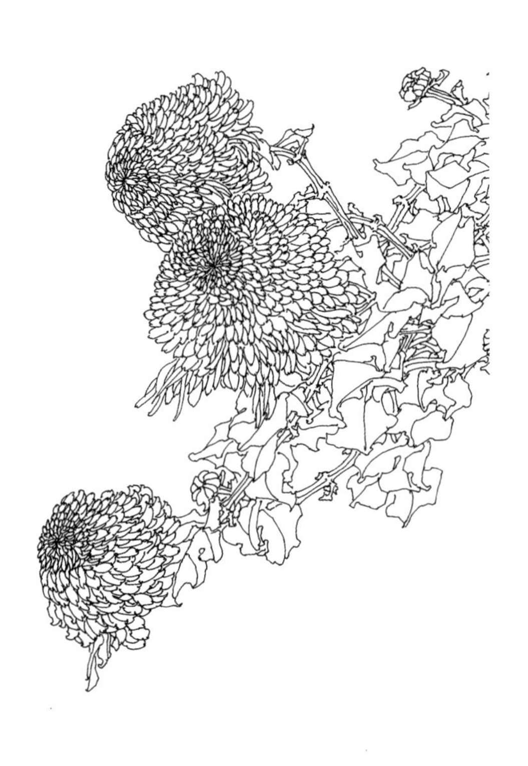

白描写生盛开花朵举例

步骤一：用赭石或鹅黄加墨点花蕊。
步骤二：用重墨或淡墨勾线画出花瓣，先勾内层花瓣。
步骤三：后勾外层花瓣。一般来说，内层的花瓣短小密集，外层的花瓣偏长偏大，但是不管是内层或外层花瓣，都要花瓣朝花蕊，不要“脱瓣”，都要注意疏密、大小、长短的变化，互相穿插，不要瓣瓣一样，以免形状像风车。最外层的长花瓣之间可加些短花瓣，以加强厚重感。花瓣外层不要过于圆或过于方，以免呆板。
步骤四：完成盛开花头后可添枝叶，精神即现。

半侧面画法：用重墨或淡墨勾最前面内层密集短小的花瓣，再勾外层较长的花瓣，最后点花托、加花柄。

背面画法：先画露出的枝、叶和花托，再朝着花托向四周画花瓣，注意大小、长短、疏密的搭配，以及花瓣的穿插。

俯向的背面画法：先画露出的枝、叶和花托，再朝着花托向四周画花瓣，但外侧的花瓣长，里面的花瓣短。

前、后面花朵的处理：先画好前面的花朵，再在其花的后面用较淡的墨画露出的花和枝叶（前面的花、叶清晰，后面的花、叶模糊），前后花之间要相互照应，顾盼生情。

2. 花苞的画法

步骤一：用淡墨勾线，先勾前面中间的花瓣。

步骤二：后勾左右两侧和后面的花瓣。

步骤三：含苞的花蕾形似“南瓜”。

步骤四：花托用浓墨点出，三五笔即可。

（二）点写与双勾结合画法

1. 用色点出花的形状，用墨勾出具体花瓣

笔腹蘸浅色，笔尖点同类色的重色（如画黄菊花：笔腹蘸藤黄，笔尖点朱磦或赭石色），先点出花的中间部分，再点花的外围，画出内深外浅花朵的形状。然后在半干时用浓墨或较干的重墨勾勒花瓣。勾勒的墨线不宜过密，墨线与墨线之间的距离大小应得当，以防止众墨线被冲散而混为一体。所勾勒的线要灵活，花朵外围要留出一定的空白，以增加花的明亮度和通透感。

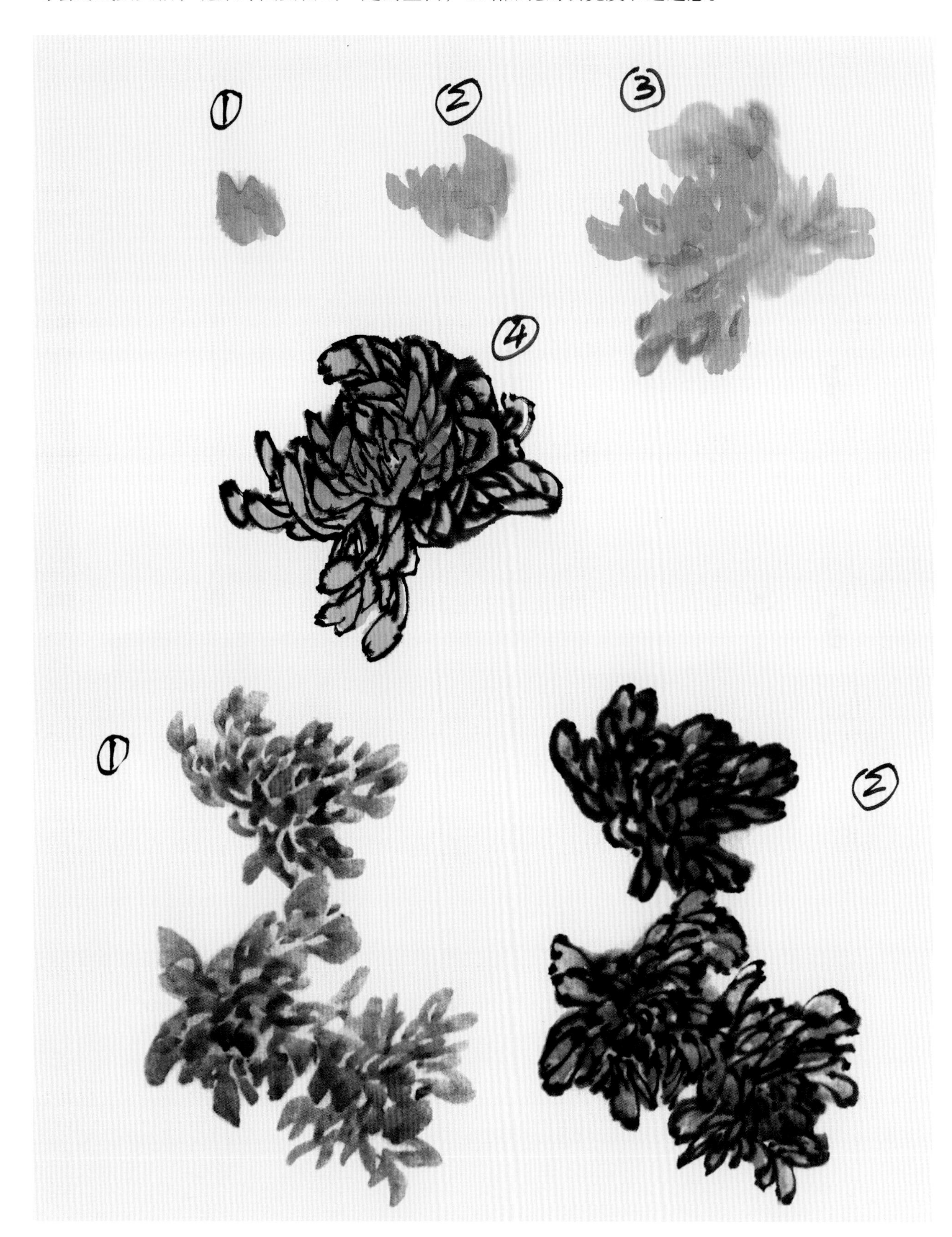

2. 用色点出内层花瓣的形状，外层留白不着色，用墨勾出外围花瓣

步骤一：笔腹蘸浅色，笔尖点重色，点写内层花瓣。

步骤二：再用墨双勾着色部分的花瓣（所勾的线要留些空白，以有利于与外围双勾的花瓣接壤）。

步骤三：后用墨接着双勾外围没有着色的花瓣。用此方法画出的菊花效果是“半白半色”。

3. 浅色点花形，重色勾花瓣

步骤一：先用色彩点出花形（花蕊浓，外围花瓣浅）。

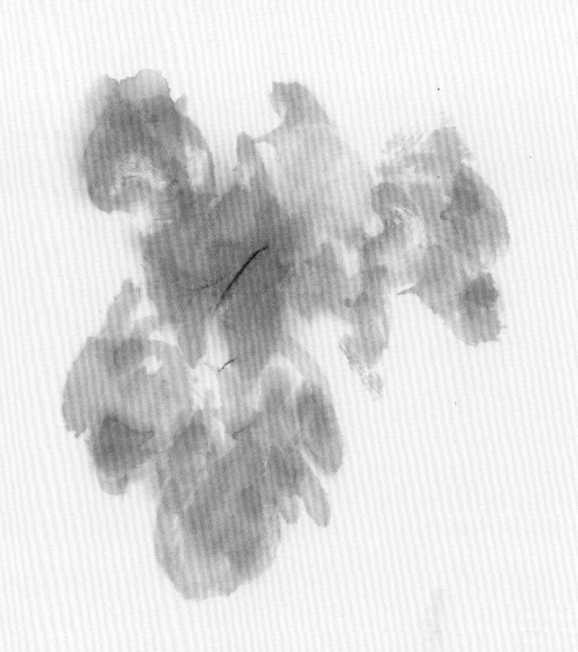

步骤一：画绿菊花：用鹅黄色点写内层花瓣，再用鹅黄色加三绿点写花的外围花瓣，越往外色越浅。

步骤二：再用比底色更重的同类色在半干时勾勒花瓣（画红菊花时，笔腹蘸清水后再蘸上浅红色，笔尖点上深红色画出花的形状，再用胭脂勾出具体的花瓣）。

步骤二：再用底色的混合色加墨调出灰色，勾出花瓣。用此方法画出的菊花文雅、大气。

（三）没骨法

直接用色点写出花的形状。

方法一

步骤一：笔腹先蘸上白色，后笔尖再点黄色，先画中间的花瓣。

步骤二：再点外层花瓣，一笔一笔向外画。要求每一笔与每一笔之间留些空白。

步骤三：在画外围花瓣时，有时要笔尖朝外，有时要笔腹朝外。如果是画“收瓣”，用笔腹朝外画，花瓣会显得柔润些。此法画出来的菊花比较轻盈和流畅，其色彩是从里到外由深色变浅色。

方法二

步骤一：笔腹蘸浅色，笔尖蘸更深的同种颜色，先画中间的花瓣。

步骤二：再点外层花瓣。

步骤三：画橘黄色菊花：笔腹蘸黄色，笔尖蘸朱磦或曙红色直接画出菊花的结构。画蓝色菊花：笔腹蘸浅蓝色，笔尖蘸深蓝色直接画出菊花的结构。

没骨法画
菊花可选
择自己喜欢、
的颜色笔
尖点色一笔
一笔按形而
画以呈淡后
用点色再画
便可得出
有变化的
没骨菊
花这种方
法要对形
有概念

（四）不同品种的菊花画法

① 以藤黄加赭石点出要画的花蕊。

② 以中墨画花瓣。

③ 在必要的地方画花蕾再添画连接的枝干。

① 以中淡墨画花蕊，定出花的中心，外瓣可围绕而画。

② 外瓣对住花蕊画。

③ 外瓣要有变化有起伏交错。

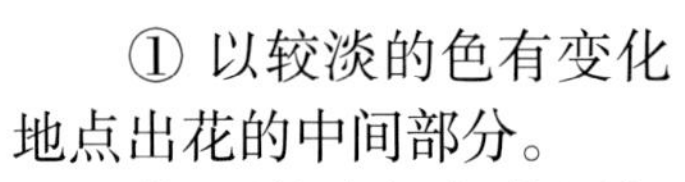

① 以较淡的色有变化地点出花的中间部分。

② 围绕中间部位添加画出花的大形。

③ 以较深的色按照花的结构勾画具体花瓣。

各种花头举例

（五）菊花的枝干画法

菊花的枝干属半草本半木本特征，枝干中有老枝和嫩枝。画老枝干时，用墨宜干些，画出老枝干的苍老和瘦劲感。画嫩枝干时，用墨宜湿些、柔软些，画出嫩枝干的圆润感。枝干的搭配要有主枝干、次枝干和破枝干，还要注意各枝干的大小、长短、疏密的变化。

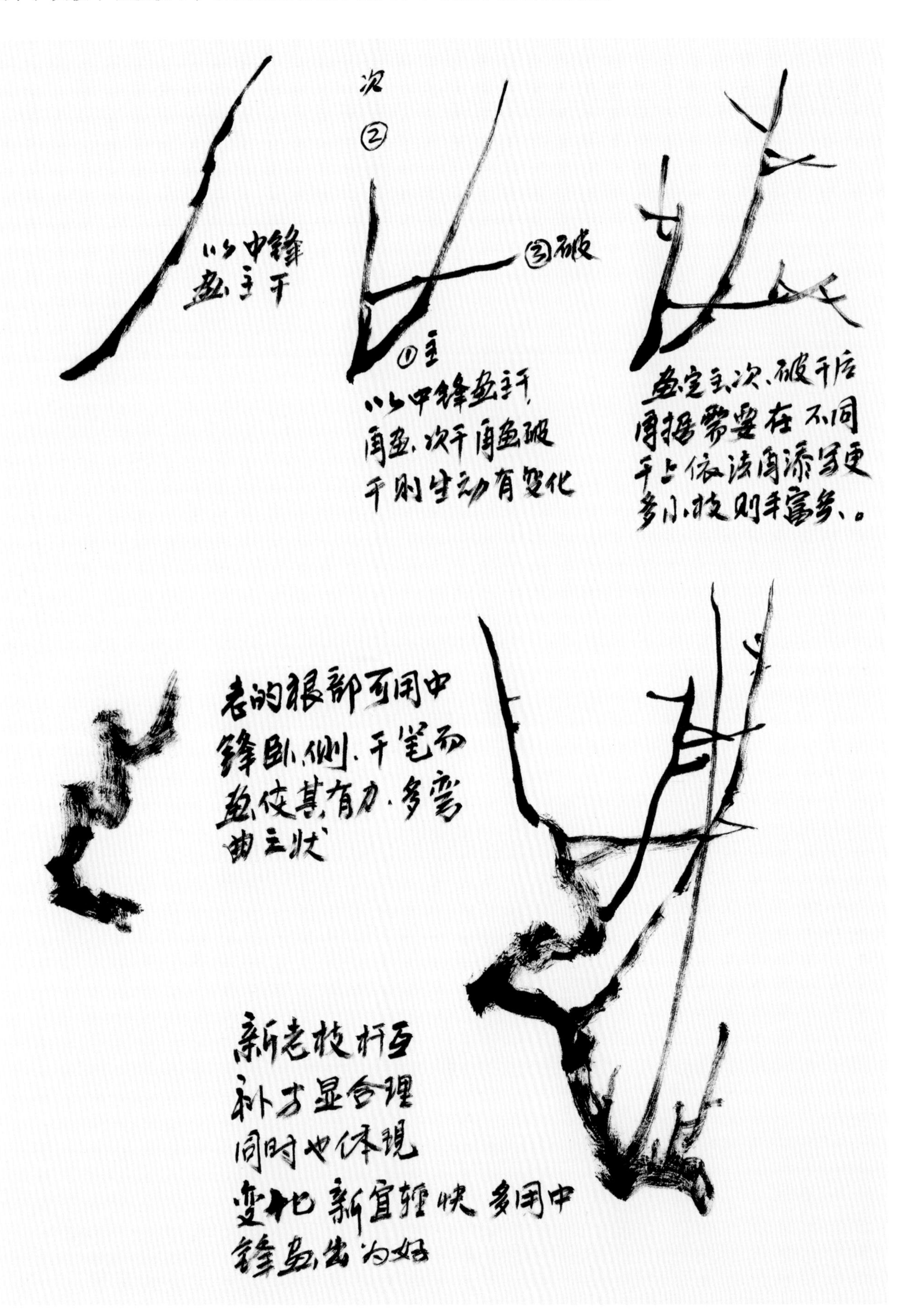

组合枝干画法

（六）菊花叶子的画法

菊花的叶子边缘上有许多缺刻，有5～7齿缺刻反差大的突出的叶子，像一个手掌。叶柄与主叶之间有散叶，作画时添些小叶，可增加画面的灵活性。菊花的叶子画法有多种，如双勾、简勾、没骨法点写以及没骨法点写与勾勒结合等。

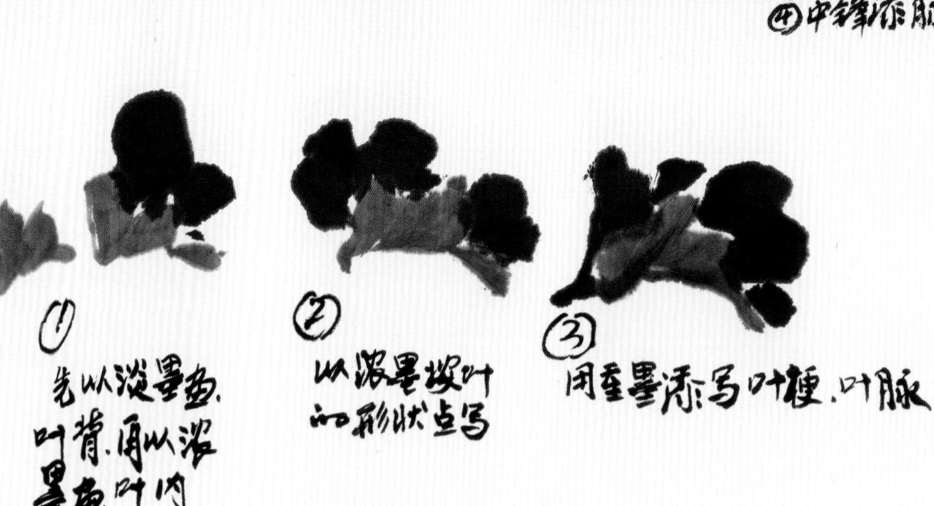

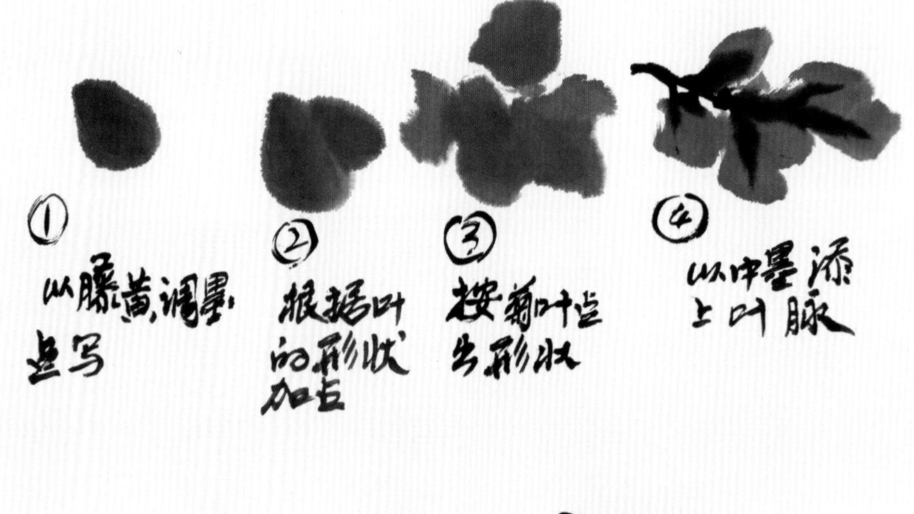

以中锋勾出叶的形状，再以花青色调入少许藤黄，以软毫笔将色点涂，注意色不盖线

白描写生举例

（七）菊花创作步骤

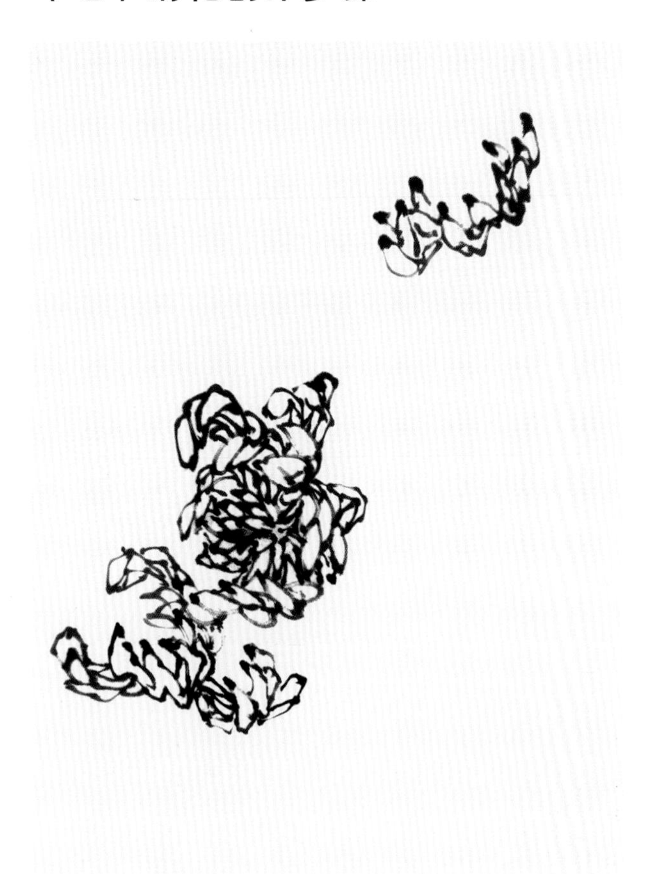
步骤一：以中墨勾出花头，并且要注意构图中花头的分布。

步骤二：在花头勾画中逐步按需要添加花头进行组合。

步骤三：画好花头后再根据需要画上枝梗连接花头成为基本构图形式。

步骤四：在添画枝梗后再根据疏密的需要添上叶子，调整或着色、落款。

步骤五：题字盖章，作品完成。

步骤一：以色点出花的形状，深色处可在笔尖点蘸上同类深色，点写即可分出层次。

步骤二：以深色或者墨勾出花瓣，最好未干即勾，会增加灵动感。

步骤三：以浓墨添写枝干，再以淡墨勾画瓶、浓墨画瓶脚。

步骤四：以浓淡变化的墨点写叶子，再以淡干笔添加粗干。

步骤五：题字盖章，作品完成。

步骤一：以淡色点写出花头的前侧部分。

步骤二：笔尖蘸点同类深色，画花的后部分花瓣，注意点填前花瓣的空位。

步骤三：以重墨画出花的枝干，同时点上花托。

步骤四：以浓淡、干湿墨点写叶子。再以淡墨加画淡枝干以及地面草叶。

步骤五：收拾画面，最后题字盖章，作品完成。

六、写生与创作

（一）写生

当画者临摹了一定量的作品，了解了一些关于画菊花的手段、方法和技能后，即可以到生活、到自然中去观察菊花，了解菊花的结构和特征，用相机把所要的素材拍摄下来，再把菊花的品种、结构特点、色彩、花期等用笔记录下来。选好角度，选好对象，对菊花进行写生。

菊花实物照片

白描写生作品六帧

（二）创作

参考写生稿，并对写生稿进行提炼、加工。在下笔前要将菊花的造型特点、表现手段、笔墨情趣和画者的思想情感等因素进行总体构思（即意在笔先），在胸有成竹后进行创意，画出融自然美、艺术美和情操美于一体的作品。

水墨创作作品两帧

（三）写生转创作画法

白描写生作品

水墨写生作品

白描创作作品

水墨创作作品

七、范画与欣赏

历代菊花诗词选

咏菊（唐 · 白居易）

一夜新霜著瓦轻，芭蕉新折败荷倾。
耐寒唯有东篱菊，金粟初开晓更清。

陈再乾　秋菊　100 cm × 53 cm

陈再乾　不愁开花不依时　100 cm×53 cm

陈再乾　香绿饮露清　100 cm×53 cm

陈再乾　秋晨菊正黄　53 cm×100 cm

陈再乾　朱石黄花　100 cm×53 cm

陈再乾　蕉荫秋露酣　100 cm×53 cm

陈再乾　不与百花争春机　67 cm×66 cm

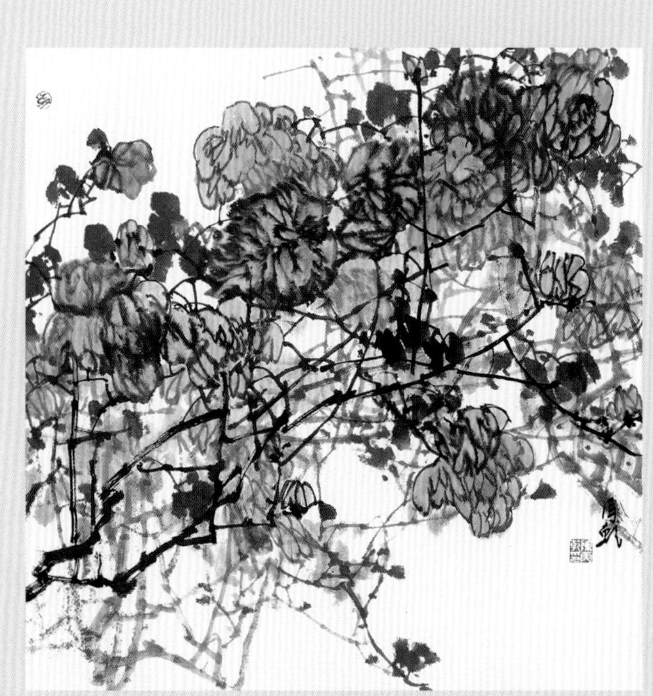

陈再乾　醉秋　67 cm×66 cm

历代菊花诗词选

赵昌寒菊（宋·苏轼）

轻肌弱骨散幽葩，更将金蕊泛流霞。

欲知却老延龄药，百草摧时始起花。

陈再乾　黄花择地依残篱　100 cm×53 cm

罗小红　今日霜华似尚浓　132 cm×33 cm

陈川　独傲西风不占春　100 cm×53 cm

李明　石菊图　53 cm×50 cm

谭明彪　岸上秋　53 cm×50 cm

黄栎伊　实爱菊色好　100 cm×53 cm

吴锁　秋菊图　75 cm×36 cm

陈泽宇　菊石图　132 cm×33 cm

梁彩媚　秋菊　97 cm×60 cm

梁彩媚　霜下杰　60 cm×97 cm

陈再崇　金秋　132 cm×67 cm

李匀　双清　100 cm×53 cm

陈巧华　秋来数枝香　44 cm×66 cm

吴昌硕　菊石图　174.7 cm×64.9 cm

齐白石　墨菊　123.5 cm×42 cm

历代菊花诗词选

菊（明·沈周）

秋满篱根始见花，却从冷淡遇繁华。
西风门径含香在，除却陶家到我家。

齐白石　从菊　136 cm×33.5 cm

齐白石　延年酒　137.5 cm×34 cm

齐白石　菊花蟋蟀　69 cm×34 cm

齐白石　秋色秋香　69.5 cm×34.5 cm

齐白石　菊花　25.5cm×54 cm

晚菊（宋·陆游）

蒲柳如懦夫，望秋已凋黄。
菊花如志士，过时有余香。
眷言东篱下，数株弄秋光。
粲粲滋夕露，英英傲晨霜。
高人寄幽情，采以泛酒觞。
投分真耐久，岁晚归枕囊。